Collection dirigée par Philippe Nessmann

Iconographie : Anna Blum
Maquette : Studio Mango

© 2003 Mango Jeunesse
Loi n°49-956 du 16 juillet 1949
sur les publications destinées à la jeunesse
Dépôt légal : septembre 2003
Imprimé en Italie

Kézako ?

Les aimants

Textes de Philippe Nessmann
Illustrations de Peter Allen
Mise en couleurs d'Axel Renaux

MANGO *JEUNESSE*

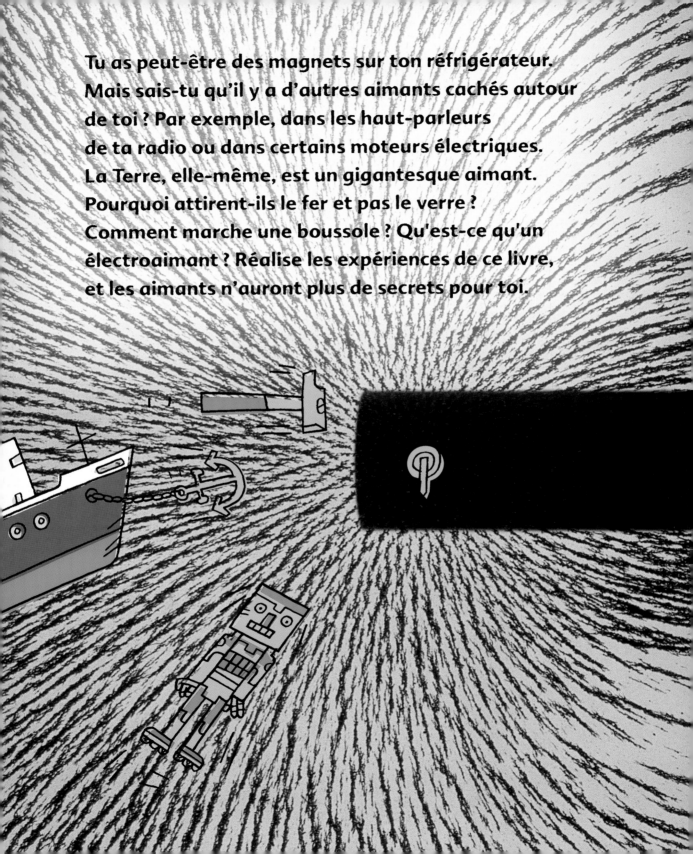

Tu as peut-être des magnets sur ton réfrigérateur.
Mais sais-tu qu'il y a d'autres aimants cachés autour
de toi ? Par exemple, dans les haut-parleurs
de ta radio ou dans certains moteurs électriques.
La Terre, elle-même, est un gigantesque aimant.
Pourquoi attirent-ils le fer et pas le verre ?
Comment marche une boussole ? Qu'est-ce qu'un
électroaimant ? Réalise les expériences de ce livre,
et les aimants n'auront plus de secrets pour toi.

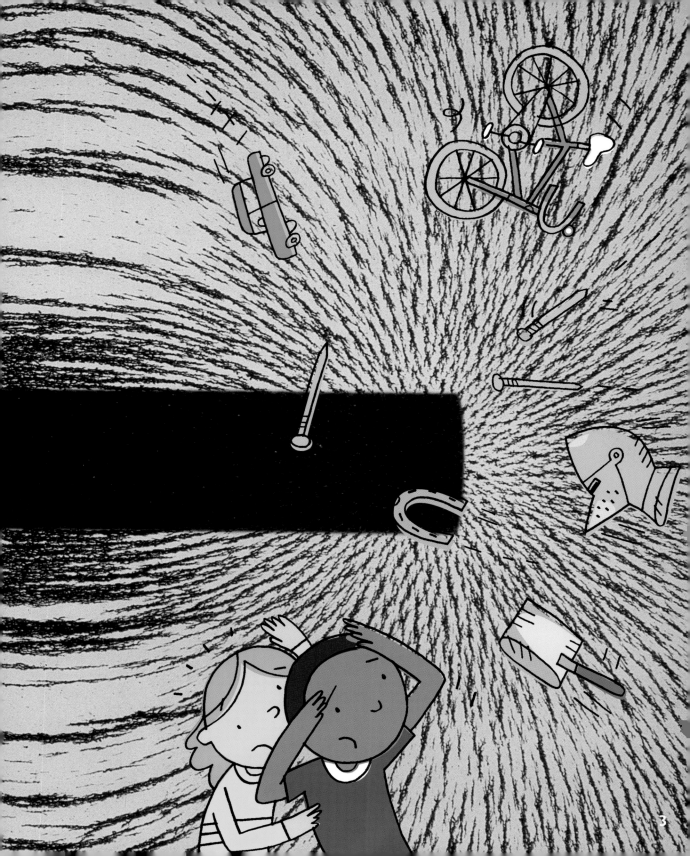

UN AIMANT, C'EST QUOI ?

Sympa, les magnets !
Mais pourquoi restent-ils
accrochés au frigo ?
Et pourquoi, quand on les pose
sur une vitre ou sur du carrelage,
tombent-ils ?

Découvre qui attire qui !

Il te faut :
- un aimant
- des pièces de monnaie
- du papier aluminium
- des petits objets : feutre, verre…

1 Pose tous tes objets sur une table.

2 Mets de côté l'aimant. Prends un objet au hasard, et fais-le toucher les autres. Restent-ils accrochés ?

3 Prends l'aimant. Fais-le toucher les objets. Sur lesquels reste-t-il accroché ?

Parmi tous tes objets, seul l'aimant s'accroche à d'autres. Et encore, pas à tous ! Il s'accroche à la fourchette en fer, mais pas au verre. C'est à cause de la matière dont sont faits les objets. Un aimant est fait avec une matière qui contient des millions d'aimants microscopiques bien alignés. C'est pour cela qu'il peut s'accrocher. Dans le fer, il y a aussi ces microaimants. Grâce à eux, le fer est accroché par l'aimant ; mais comme ils ne sont pas alignés dans la même direction, le fer n'est pas lui-même un aimant. Dans le verre ou l'aluminium, il n'y a pas de microaimants : ils ne se laissent pas accrocher.

Où trouver des aimants ?
Tu peux récupérer un aimant sur certaines portes de placard, ou en acheter au rayon bricolage d'un supermarché. Les magnets sont des aimants, mais ils ne sont pas assez puissants pour nos expériences.

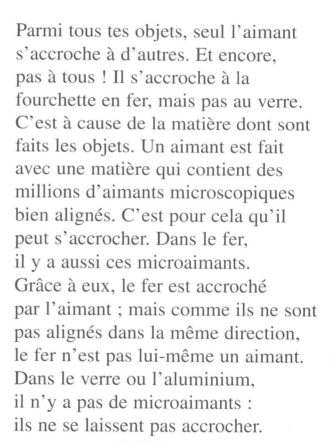

UNE FORCE À DISTANCE

Pas de trucage ! L'aimant flotte vraiment dans l'air :
lui et le disque se repoussent l'un l'autre.
La force des aimants agit à distance :
ils attirent certains objets et en repoussent
d'autres... sans même les toucher !

Fais naviguer un bateau

1 Pose le trombone le long du bouchon et scotche-le.

2 Pose l'aimant à l'un des bouts de la règle et scotche-le.

3 Verse un peu d'eau dans le plat en verre. Fais-y flotter le bouchon, avec le trombone vers le bas.

4 Dispose les deux livres sur une table, un peu espacés. Place le plat dessus.

5 Glisse le bout de la règle avec l'aimant sous le plat, juste sous le bouchon. Amuse-toi à le déplacer en faisant bouger l'aimant.

Dico
On dit qu'un aimant crée un « champ magnétique » autour de lui. Ce champ est invisible. On parvient à le « voir » en saupoudrant de la limaille de fer autour d'un aimant. Regarde page 2 et 3 !

Tu parviens à déplacer le bateau sans le toucher ! Ton aimant attire le trombone en fer, malgré le plat en verre et l'eau. Les aimants exercent une force invisible sur ce qui est en fer. Cette force agit à distance : l'aimant n'est pas obligé de toucher le trombone en fer pour l'attirer. Mais, plus ils sont proches, plus la force est grande. Cette force parvient à traverser l'air, l'eau, le verre ou encore le papier.

RÉACTION EN CHAÎNE

Ces petits bonshommes sont en fer. Il est donc normal que celui du haut colle à l'aimant.
Mais pourquoi les deux autres en dessous restent-ils accrochés, alors qu'ils ne touchent même pas l'aimant ?
Étrange, non ?

1 Vérifie que les deux trombones ne sont pas aimantés : ils ne doivent pas s'accrocher l'un à l'autre.

Il te faut :
- un aimant
- deux trombones en fer

2 Pose-les sur une table. Avec l'aimant, attrape le premier trombone.

3 Pose le premier trombone sur le second. S'accrochent-ils ?

4 Avec ta deuxième main, sépare progressivement le premier trombone de l'aimant. Le deuxième trombone reste-t-il accroché ?

Une autre expérience
Si ton aimant est assez fort et que tu es agile, tu pourras réaliser une chaîne de trois ou même quatre trombones. Quel est ton record ?

Posé sur un aimant, le trombone devient un aimant. Dans un aimant, il y a des millions de microaimants, tous dirigés dans la même direction. Le fer contient aussi des microaimants. Mais ils sont dirigés dans tous les sens : c'est pour ça que le fer n'est pas un aimant. Mais quand tu poses le trombone sur l'aimant, cela oblige les microaimants du fer à prendre la même direction. Du coup, le trombone devient un aimant. Ensuite, quand tu l'écartes de l'aimant, ses microaimants reprennent leur position de départ. Le trombone perd alors peu à peu son aimantation.

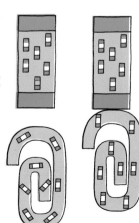

FABRIQUER UN AIMANT

Dans la nature, certains cailloux
attirent le fer. Ce sont des aimants
naturels. Mais ils sont assez rares.
Les aimants que tu utilises
ont été fabriqués dans des usines.

Aimante un tournevis

1 Vérifie que le tournevis n'est pas aimanté : les épingles ne doivent pas rester accrochées dessus.

Il te faut :
- un aimant
- un tournevis
- des épingles en fer

2 Pose l'aimant sur la partie en métal du tournevis, près du manche. Frotte-le jusqu'au bout du tournevis. Recommence l'opération dix fois.

x 10

3 Pose le tournevis sur les épingles. Restent-elles collées ?

Le sais-tu ?
Les mots « magnet », « champ magnétique », « bande magnétique » ont été formés à partir du nom d'une ville, Magnésie. Dans l'Antiquité, les Grecs y ont trouvé des cailloux noirs qui attiraient le fer. Ils ont baptisé ces aimants naturels « magnétite ».

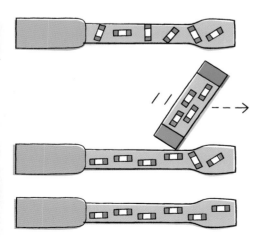

Le tournevis est devenu un aimant ! Dans un aimant, il y a des millions d'aimants microscopiques. Ils sont tous dirigés dans le même sens. Dans le fer, ces microaimants sont dirigés dans tous les sens. C'est pour cela que le fer n'est pas un aimant. Mais lorsque tu le frottes longtemps avec un aimant, tu obliges les microaimants à se mettre tous dans la même direction. Le fer devient alors un aimant. La preuve : le tournevis attire les épingles !

PÔLE NORD, PÔLE SUD

Ce train n'a pas de roues ! Il flotte à un centimètre au dessus du rail. Par magie ? Non, les aimants électriques du rail repoussent ceux du train vers le haut, et le font flotter dans l'air !

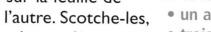

Repousse tes aiguilles

1 Pose les aiguilles sur la feuille de papier, l'une contre l'autre. Scotche-les, de façon à ce que les bouts dépassent.

Il te faut :
- un aimant
- trois aiguilles à coudre identiques
- de la gouache rouge et bleue
- du papier
- du ruban adhésif

2 Pose ton aimant à un bout des aiguilles. Frotte-le jusqu'à l'autre bout, puis relève-le. Recommence dix fois toujours dans le même sens.

3 Mets un peu de gouache bleue à un bout des aiguilles, et rouge à l'autre bout. Quand c'est sec, enlève le ruban adhésif.

Une autre expérience
Si tu as deux aimants, amuse-toi à rapprocher deux pôles qui se repoussent. Il faut de la force pour les faire se toucher !

4 Prends une aiguille. Que se passe-t-il si tu approches son bout bleu du bout bleu d'une autre aiguille ? Et avec deux bouts rouges ? Et deux bouts de couleurs différentes ?

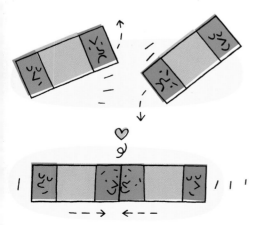

En frottant tes aiguilles avec un aimant, tu en as fait des aimants. Mais c'est curieux : deux bouts de même couleur se repoussent. Et deux bouts de couleurs différentes s'attirent ! On dit que les aimants ont des « pôles » : un pôle nord et un pôle sud. Les pôles nord de deux aimants se repoussent, et les pôles sud aussi. En revanche, le pôle nord d'un aimant attire le pôle sud d'un autre aimant.

13

PERDS PAS LE NORD !

Pratique, la boussole ! Elle permet de trouver le nord, même en plein brouillard.
Les Chinois l'ont inventée il y a plus de 4 500 ans.
Et puisqu'on en parle dans un livre sur les aimants, c'est qu'elle fonctionne grâce à... un aimant !

Fabrique ta boussole !

1 Frotte une dizaine de fois l'aimant sur l'épingle, toujours dans le même sens, pour l'aimanter.

Il te faut :
- un aimant
- une épingle
- du fil à coudre très fin
- du ruban adhésif

2 Découpe un morceau de fil long comme deux fois ton livre.

3 Avec du ruban adhésif, attache un bout du fil au milieu de l'épingle.

Vrai ou faux ?
Lorsqu'une boussole se trouve près d'un gros objet en fer, elle n'indique plus le nord.

Vrai. Vérifie-le avec ta boussole, en t'approchant d'un réfrigérateur. L'épingle se tournera vers le réfrigérateur.

4 Tiens l'autre bout du fil. Observe dans quelle direction l'épingle se stabilise. Bouge dans ta maison. Cette direction change-t-elle ?

L'épingle aimantée indique toujours la même direction, même quand tu bouges ! Tu as fabriqué une boussole. Voilà comment elle fonctionne : à l'intérieur de la Terre, il y a un noyau de fer, qui agit comme un aimant. La Terre est un aimant géant ! Or, tu sais que le pôle nord d'un aimant attire le pôle sud d'un autre aimant. Le pôle nord sur la Terre attire donc le pôle sud de ton épingle aimantée. Elle garde ainsi toujours la même direction et indique le nord.

UN AIMANT ÉLECTRIQUE

Ceci est un électroaimant.
Lorsqu'un courant électrique
le traverse, il fonctionne comme
un aimant. La ferraille s'accroche
à lui. Dès que le courant s'arrête,
il cesse d'être un aimant
et la ferraille retombe.

Fabrique un électroaimant

1 Avec un aimant, vérifie que la vis et le trombone sont en fer.

Il te faut :
- une pile ronde de 1,5 volt
- un fil en cuivre de 60 cm, dénudé aux extrémités
- une grosse vis
- un trombone

2 Enroule le fil de cuivre autour de la vis. Fais dix tours. Pose la vis sur le trombone puis enlève-la : reste-t-il accroché ?

3 Demande à un adulte de placer la pile entre les deux extrémités du fil. Pendant ce temps, pose la vis sur le trombone. Reste-t-il accroché ? Et si on débranche la pile ?

Attention !

Pendant cette expérience avec la pile, les extrémités du fil chauffent vite. Attention de ne pas se brûler ! Il ne faut jamais réaliser cette expérience avec l'électricité d'une prise. C'est très dangereux ! Tu peux t'électrocuter.

Lorsqu'un courant électrique passe dans le fil, la vis devient un aimant ! Maintenant tu sais que, dans la vis en fer, il y a des millions de microaimants. Normalement, ils sont dirigés dans tous les sens : la vis n'agit pas comme un aimant. Mais quand l'électricité circule dans le fil, cela crée un champ magnétique. Les microaimants de la vis se mettent alors tous dans la même direction : elle devient un aimant. Dès que le courant s'arrête, les microaimants reprennent leur position de départ et l'aimantation cesse.

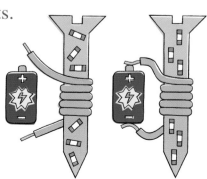

AIMANT + ÉLECTRICITÉ = ♡

Les aimants et l'électricité
sont très copains.
On trouve des aimants,
ou des électroaimants,
dans de nombreux
appareils électriques :
le haut-parleur d'une radio,
le moteur d'un lave-linge
ou d'un sèche-cheveux...

Change les couleurs de ta télé !

1 Avec un morceau de film alimentaire, emballe ton aimant. Cela servira à ne pas rayer l'écran de télévision.

Il te faut :
- un aimant
- une télévision classique
- du film alimentaire

2 Allume la télévision. Pose l'aimant emballé sur l'écran.

3 Bouge l'aimant sur l'écran. Que deviennent les couleurs de la télé autour de l'aimant ?

Le sais-tu ?
Pour fabriquer de l'électricité, on utilise souvent des aimants. Il y en a dans les dynamos des vélos. Et dans les alternateurs qui fabriquent l'électricité des prises électriques, il y a des électroaimants.

Autour de l'aimant, l'image change de couleurs !
Cela montre que les aimants et l'électricité sont très amis.
En effet, à l'intérieur d'une télévision, les images se forment grâce à l'électricité. Des petits grains électriques, les électrons, sont projetés sur l'écran.
Loin de l'aimant, l'image est normale. Près de l'aimant, les électrons sont déviés : ils changent de direction à cause du champ magnétique de l'aimant. Ils n'arrivent donc plus à l'endroit où ils devraient, et cela modifie les couleurs de l'image.

BANDE MAGNÉTIQUE

Pour enregistrer de la musique,
on utilise souvent une cassette
audio. Pour un film, on utilise une
cassette vidéo. Pour des données
informatiques, une disquette...
Sais-tu ce qu'elles ont en commun ?
Le magnétisme, bien sûr...

Efface une cassette !

1 Demande à un adulte
si tu peux effacer la cassette.

2 Regarde un court
passage de la cassette,
puis rembobine-la un peu.

Il te faut :
- un aimant
- une vieille cassette
  vidéo
- un magnétoscope

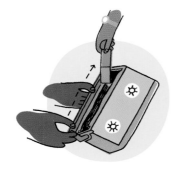

3 Demande à l'adulte
d'ouvrir le cache qui protège
la bande magnétique.
Frotte ton aimant le long
de la bande magnétique.

Vrai ou faux ?
**Avec un aimant, on peut
effacer une disquette
d'ordinateur.**

Vrai. Les disquettes et les
disques durs sont magnétiques,
et craignent donc les aimants.
Les CD-roms, eux, n'ont rien
à craindre : ils fonctionnent
non pas avec le magnétisme,
mais grâce à un rayon laser.

4 Referme le cache.
Insère la cassette dans
le magnétoscope, rembobine
un peu et regarde à nouveau
le passage. Que s'est-il passé ?

Il y a comme de la neige sur l'écran !
Tu as effacé l'image ! Sur une bande magnétique,
il y a des millions d'aiguilles minuscules.
Quand tu enregistres une émission, le magnétoscope
aimante ces aiguilles, en fonction de l'image.
Ensuite, quand tu lis la cassette, le magnétoscope
regarde comment les aiguilles ont été aimantées.
Il traduit alors ces informations en une image.
Mais si tu passes un aimant sur la bande, tu modifies
l'aimantation des aiguilles. Tu effaces donc l'image…

21

Et si, un jour,
il n'y avait plus d'aimants...

La guerre des robots bat son plein. Camille se protège derrière un bouclier-casserole. Soudain, Aurélien sort un pot de ketchup et le dirige vers Camille.
— Avec mon fulguro-aimant, j'attire ton bouclier en fer... Tu n'es plus protégée et je gagne la partie !
— Faux ! s'écrie Camille, car moi, j'ai un super-démagnétiseur ! Il annule les pouvoirs de tous les aimants. C'est moi qui gagne !

Aurélien, surpris, réfléchit quelques secondes.
— Ah oui ? Tu démagnétises tout ? Mais as-tu pensé aux oiseaux migrateurs ? C'est parce que la Terre est un gros aimant, qu'ils retrouvent leur chemin. Tu veux qu'ils soient perdus ?
— Rien à faire, tu as perdu !
— Alors voilà ce qu'on va faire, propose Aurélien. Si, pendant toute la journée, tu n'utilises pas un seul aimant, tu as gagné la partie.
— Ouais, facile...

Dans l'après-midi, sans faire attention, Camille allume la radio. Aurélien court l'éteindre.
— Ah non ! on a dit pas d'aimants. Tu sais pourtant qu'il y en a dans les haut-parleurs. Donc pas de radio, pas de télé, et pas de téléphone...
— Gnagnagna, râle Camille.

Un peu plus tard, Camille met en marche
l'ordinateur pour faire un jeu.
— Eh, pas d'aimant ! lui rappelle Aurélien.
Le disque dur est magnétique.
Ton super-démagnétiseur l'a détruit.
Impossible de jouer !
— Ça va, ça va, monsieur « je sais tout »...

En fin d'après-midi, Camille allume une lampe
pour lire. Inquiète, elle regarde Aurélien.
— Eh bien quoi, c'est une ampoule,
il n'y a pas d'aimant !
— Dans l'ampoule, non, admet Aurélien.
Mais j'ai lu que l'électricité qui arrive dans
la prise était faite avec des machines appelées
« alternateurs », et qu'elles contenaient
des électroaimants...

— Bon, ça va, j'abandonne, finit pas lâcher
Camille... Tu as gagné...
— Hé, Camilou ! lance Aurélien, victorieux.
La prochaine fois que tu utilises ton
super-démagnétiseur, ne le fais pas avec
quelqu'un qui vient juste de lire un livre
sur les aimants !

Crédit photographique